BRAVO!
est capable de lire ce livre!

À Rob, qui a fini par avoir des lunettes
– J.O'C.

À ma sœur Erica, qui nous voit tous
avec tant de perspicacité
– R.P.G.

Re : Chères lunettes, sachez que malgré toute
sa sagesse, Mme Parker était incorrigible.
– T.E.

Catalogage avant publication de Bibliothèque et Archives Canada

O'Connor, Jane
Les lunettes éblouissantes / Jane O'Connor ;
illustrations, Robin Preiss Glasser ;
texte français d'Hélène Pilotto.

(Je lis avec Mademoiselle Nancy)
Traduction de: Spectacular spectacles.

ISBN 978-1-4431-2596-3

I. Preiss-Glasser, Robin II. Pilotto, Hélène III. Titre.
IV. Collection: O'Connor, Jane Je lis avec Mademoiselle Nancy

PZ23.O26Lun 2013 j813'.54 C2013-900278-2

Édition publiée par les Éditions Scholastic,
604, rue King Ouest, Toronto (Ontario) M5V 1E1,
avec la permission de HarperCollins.

5 4 3 2 1 Imprimé au Canada 119 13 14 15 16 17

Jane O'Connor

Illustration de la couverture : Robin Preiss Glasser

Illustrations des pages intérieures : Ted Enik

Texte français d'Hélène Pilotto

Aujourd'hui, Béa ne peut pas venir jouer chez moi après l'école. Elle va chez l'optométriste.

Elle a souvent mal aux yeux en classe. C'est très contrariant (un mot chic pour dire « embêtant »). J'espère que l'optométriste pourra l'aider.

Le soir, Béa m'envoie un message
dans notre panier à courrier.
Elle m'écrit : « J'ai une surprise. »

Je lui retourne un message :

« Quoi? Quoi? Raconte-moi! »

À son tour, elle me répond :

« Tu le sauras demain. »

Je suis plutôt impatiente

de nature; je n'aime pas attendre.

Le lendemain matin, je cours chez Béa. Elle me rejoint dehors.

Surprise! Béa porte des lunettes!

Ce sont des lunettes de lecture.

Elle n’aura plus mal aux yeux.

Je m'exclame :

— Oh là là! Tu es éblouissante!

(Une façon chic de dire « très belle ».)

Les lunettes de Béa sont lavande, c'est-à-dire « violet pâle », mais en plus chic. Et elles scintillent.

Béa range ses lunettes dans un étui argenté. Et l'étui et les lunettes sont vraiment très chics!

En classe, Béa nous raconte
sa visite chez l'optométriste.
Elle devait lire des lettres de plus
en plus petites sur un tableau.

— Des lunettes, c’est magique, dit-elle. Même les petits caractères sont nets maintenant. Plus rien n’est flou!

— Tes lunettes sont très seyantes, déclare Mme Mirette.

Voilà un mot chic que je ne connaissais pas. Mme Mirette nous l'explique : il signifie que les lunettes de Béa lui vont bien.

— Je la trouve éblouissante avec ses lunettes! dis-je.

Mme Mirette nous apprend que l'ancien mot pour désigner des lunettes était « bésicles ». Super! Béa porte des bésicles éblouissantes.

Béa porte ses lunettes

durant le cours de maths.

Elle les porte aussi à la

bibliothèque.

L’optométriste lui a donné un linge soyeux pour nettoyer les verres. Il est rose à pois violets.

J'aimerais bien avoir un linge comme le sien. J'aimerais aussi avoir un étui argenté. Mais ce que j'aimerais le plus, c'est avoir des lunettes lavande qui scintillent.

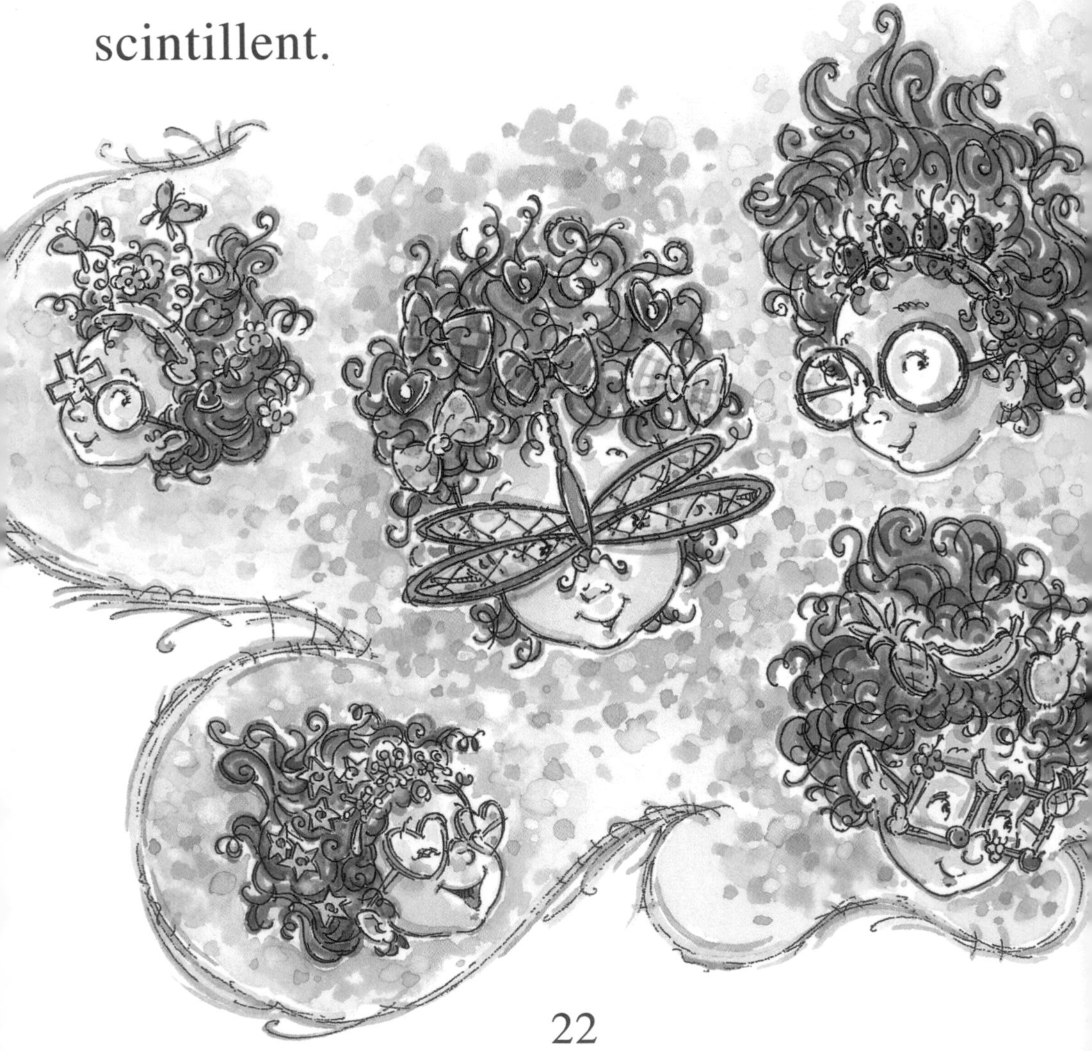

Soudain, je me demande :

J'ai peut-être besoin de lunettes, moi aussi?

Pendant le souper, je suis presque certaine que ma nourriture est floue.

Après le repas, je fais un casse-tête. Les pièces sont très petites. Il est vraiment ardu (une façon chic de dire « difficile »). Je plisse les yeux. Mais oui! Tout est plus clair ainsi!

Plus tard, ma mère vient me voir.

Je lis dans le noir. Ma mère proteste :

— C'est très mauvais pour tes yeux,

Nancy!

— Je sais, dis-je.

Je lui parle des lunettes de Béa.

— Je parie qu'elle aura une chaîne comme celle de Mme Mirette, très chic. C'est injuste! Moi aussi, je veux des lunettes!

Ma mère sourit. Elle explique que Béa a des lunettes pour mieux voir.

— Toi, tu as une vision parfaite, dit-elle. Tu es très chanceuse!

Je sais tout ça, mais je veux quand même des lunettes.

J'ai alors une idée éblouissante.

Ma mère m'aide à la réaliser.

Mes vieilles lunettes de soleil n’avaient plus qu’un verre. J’ai ôté l’autre. *Tadam!* Voilà de fausses lunettes… ultra-chics!

Les mots chics de Mademoiselle Nancy

Voici les mots chics du livre :

ardu/ardue : difficile

bésicles : ancien nom des lunettes

contrariant/contrariante : embêtant(e)

éblouissant/éblouissante : très beau (belle)

lavande : violet pâle

seyant/seyante : qui va bien, attrayant(e)